La vie de famille

Pour les plus curieux

Victor, l'enfant sauvage

Abandonné à la naissance

Imagine un enfant d'une dizaine d'années, découvert dans les bois de l'Aveyron. Sans doute abandonné à la naissance, il aurait grandi sans aucun contact avec les humains. Cette histoire est véridique : elle a eu lieu en 1800. Appelé Victor, l'enfant dit « sauvage » ne parlait pas et ne comprenait pas le langage humain. Il avait peur des hommes et présentait des attitudes semblables à celles d'animaux sauvages : par exemple, il se déplaçait à quatre pattes.

Quelques progrès...

À cette époque, la plupart des gens pensèrent que Victor était débile et incapable de changer de comportement. Mais le docteur Jean Itard (1774-1838) entreprit de l'éduquer et de lui apprendre à parler. Malgré les efforts déployés par ce médecin, les progrès de Victor, obtenus par dressage, n'entraînèrent pas de véritables changements. L'enfant n'arriva jamais à obtenir les mêmes acquisitions qu'un enfant de son âge : il avait du mal à comprendre et à utiliser le langage humain et se montra peu sociable.

Une éducation essentielle

D'autres cas d'enfants semblables à Victor sont connus : aucun n'a jamais pu rattraper son retard mental. On ignore pourquoi et à quel âge ils ont été abandonnés et quelles étaient leurs capacités à la naissance ; mais l'absence de contact humain et les privations qu'ils ont subies très tôt ont gravement et définitivement empêché leur développement.

Cet « Essentiel Milan Junior » t'expliquera que les rapports aux autres sont indispensables à ton évolution et que les tentatives d'éducation de tes parents te permettront, malgré leurs erreurs, de grandir. Ton évolution dépendra aussi de tes choix.

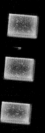

Le réalisateur François Truffaut s'est inspiré de l'histoire de Victor dans le film *L'Enfant sauvage*, tourné en 1970. Il y joue aussi le rôle du docteur Itard et Jean-Pierre Cargol celui du jeune sauvage.

La famille au fil du temps

Au Moyen Âge

Les mères étaient indifférentes au développement et au bonheur de leurs enfants de moins de 2 ans. Elles voyaient rarement en leurs nourrissons des êtres humains à part entière. Les petits enfants passaient pour être des créatures différentes. Les bébés étaient maltraités ; ils étaient endormis de force, avec des secousses violentes, et abandonnés à eux-mêmes pendant des périodes prolongées.
À cause des mauvaises conditions matérielles et du manque de soins, beaucoup de nourrissons mouraient. Dès l'âge de 7 ans, les enfants des campagnes travaillaient aux champs. Ils devenaient utiles à leurs parents.

Vers la fin du XVIIIᵉ siècle-le début du XIXᵉ siècle

L'enfant prend une autre place au sein de la famille. Avec Jean-Jacques Rousseau, écrivain et philosophe (1712–1778), l'enfant diffère de l'adulte non seulement par sa taille, mais aussi par sa pensée. Des études sur l'évolution de l'enfant témoignent de l'importance qui lui est alors accordée. On prend conscience que le bien-être est nécessaire au bébé.
Les mères s'inquiètent pour la santé de leurs nourrissons et consultent des médecins, si les revenus de la famille le permettent. Peu à peu, l'intimité s'installe dans le foyer familial : parents, enfants, parfois grands-parents, tantes et oncles, vivent sous le même toit mais la famille forme un groupe restreint.

Aujourd'hui

Dans la famille moderne, la mort d'un enfant est vécue comme une catastrophe car l'enfant est reconnu comme un être humain à part entière. Face à la famille traditionnelle fondée sur le couple marié, d'autres formes d'organisation familiale se sont développées : union libre, famille monoparentale, familles recomposées, PaCS... L'enfant doit trouver sa place au sein de ces nouvelles familles et s'adapter à de nouvelles organisations. Il est aujourd'hui le centre des préoccupations des parents.

l'évolution des relations parents-enfants

0 à 3 ans : l'enfant est dépendant de sa mère.

1 mois : le nourrisson commence à sourire à ses parents, et aux personnes extérieures. Jusqu'à 7 mois environ, il tète le sein de sa mère ou boit le biberon. La tétée est un moment privilégié entre l'enfant et sa mère.

4 mois : les parents sont sous le charme des rires de leur nourrisson. Ils font des gazouillis et des grimaces ensemble. Le changement des couches est souvent un plaisir pour la mère et pour le père : c'est un moment d'échanges avec l'enfant.

6 à 8 mois : l'enfant tient assis seul quelques instants, et reconnaît le visage de sa mère.

1 an à 1 an et demi : l'enfant marche seul et dit quelques mots (« papa, maman... »).

3 ans : l'enfant dit souvent « non » aux demandes de ses parents. Il va à la maternelle et rencontre des camarades. Il commence à se détacher de ses parents.

3 ans et demi : l'enfant se déshabille et commence à s'habiller seul.

Vers 3 ou 4 ans : période du complexe d'Œdipe. L'enfant comprend que sa mère forme un couple avec son père.

6 ans : l'âge du CP. L'enfant apprend à lire et à écrire.

6 à 11 ans : l'enfant devient autonome. En général, c'est une période calme : peu de conflits avec les parents.

11 à 18 ans : stade de la puberté et de l'adolescence. Des conflits s'installent avec les parents, car l'adolescent réclame son indépendance et conserve, en même temps, des attitudes enfantines. Le passage de l'enfance à l'âge adulte est souvent difficile et douloureux.

C'est pour ton bien

Les parents ont des désirs pour leurs enfants : ils veulent leur réussite et leur bonheur, mais à quel prix ?

Un décalage entre deux générations

Les parents font souvent référence au passé et à leur enfance. Ils parlent aussi de travail ou de politique. Parents et enfants n'utilisent pas toujours le même langage, car leur vocabulaire et leur centres d'intérêt sont différents.

Les parents se raccrochent à leur passé parce que la société évolue vite. Ordinateurs et jeux vidéo, par exemple, n'existaient pas dans leur enfance. Parfois effrayés par ces nouveautés, ils rencontrent des difficultés pour s'adapter.

Mes envies et mes désirs

Les envies et les désirs sont à la base du fonctionnement humain. Nous sommes différents des animaux qui ont surtout des besoins essentiels (se nourrir, dormir et se reproduire). Toi, tu as envie de la nouvelle console de jeux ; elle n'est pourtant pas nécessaire pour vivre. Lorsque tu as envie de quelque chose, c'est parce que tu ressens un manque et que tu désires obtenir ce qui le comblera. Pour les parents, c'est la même chose. Ils ont des désirs pour eux et pour leurs enfants.

Le savais-tu ?

Il nous manque toujours quelque chose

Dès que nous possédons, nous avons envie d'autre chose. Ce n'est pas toujours un objet, cela peut être l'affection des parents ou une bonne note à l'école. Bref, comme nous sommes dans le manque permanent, nous désirons tout le temps.

...ivations et frustrations

...enfant a des désirs, souhaite faire des activités ... posséder. Les parents s'opposent parfois à ...s demandes ou n'ont pas les moyens d'y ...pondre. Ce que désire l'enfant ne correspond ...as toujours à ce qui est possible dans la réalité ...u risque même d'être dangereux.

...e rôle des parents est de guider l'enfant vers ...e qu'ils jugent le mieux adapté. Privé de ce qui ...i fait envie, l'enfant se sent frustré. Mais tous ...s désirs ne peuvent pas être satisfaits : en effet, ...est impossible de tout posséder.

...s m'imposent leurs choix

...arrive que tes parents t'obligent à faire une acti-...té qui te déplaît. Le parent qui impose ses désirs ... son enfant pense que c'est pour son bien. ...e sont des désirs contradictoires : le parent sou-...aite l'épanouissement de l'enfant et, en même ...mps, il voudrait le maîtriser. Quelle que soit ... raison de leur refus, essaie d'en parler avec ...s parents et de donner ton point de vue.

La naissance, première frustration

Le cri du nouveau-né témoignerait d'une angoisse. Elle serait causée par la séparation d'avec le corps de la mère. Le nourrisson serait déjà dans le manque.

dico *Frustration : sentiment de ne pouvoir acquérir un objet de satisfaction. D'après Jacques Lacan, psychiatre et psychanalyste français (1901-1981), il ne correspond pas seulement aux objets réels mais aussi à la présence d'une mère, par exemple.*

Tu n'as pas le droit

Imagine un jeu sans règles. Comment y joue-t-on ? Qui fait quoi ? Pour répondre à ces questions, les joueurs seraient obligés de créer des règles. Elles sont aussi indispensables dans la famille que dans la société.

De quelle autorité s'agit-il ?

L'enfant, jusqu'à sa majorité à 18 ans, est soumi[s] l'autorité des parents. Cela signifie qu'ils ont le dr[oit] et le devoir de garde, de surveillance et d'éducatic[n]. Ils veillent à la sécurité de l'enfant et à son bien-êtr[e]. Selon la loi, l'autorité parentale est exercée auta[nt] par le père que par la mère lorsqu'ils sont marié[s].

Les parents imposent des règles

L'autorité parentale est une mesure permettant [de] donner à l'enfant des règles, tout en respecta[nt] son épanouissement. Les parents doive[nt] apprendre à l'enfant ce qu'il peut faire [et] ce qu'il ne peut pas faire. Ils lui serve[nt] de guides, tandis que l'enfant continue[d'] apprendre tous les jours. Les règles et les ord[res] te permettent de te construire ; il est rass[u]rant de savoir que ces règles existent, sino[n] tu ferais n'importe quoi à n'importe quel mome[nt].

ET POURQUOI JE N'AI PAS LE DROIT DE PRENDRE LA VOITURE ?

D'ABORD ?

Où est ma liberté ?

Il arrive que tes parents t'empêchent de fai[re] ce que tu veux. Ce n'est pas pour autant u[ne] atteinte à ta liberté. C'est un moyen de te protég[er] du danger, par exemple lorsqu'ils t'empêche[nt] de sortir seul(e) la nuit.

...s enfants, comme les adultes, doivent obéir à la ...i. Les lois ont été établies pour respecter chaque ...toyen dans sa liberté. Les règles sont comme les ...is, elles sont là pour que l'individu ne puisse ...s causer de tort à son prochain ou à lui-même.

...on courrier et mes fréquentations

...n exerçant leur autorité, les parents ont le droit ... surveiller le courrier et les fréquentations ... l'enfant. Ce droit de surveillance n'est pas ...ujours mis en application si une relation de ...nfiance est installée.

...n enfant reste très influençable : certaines per-...nnes extérieures abusent parfois de cela pour ...xploiter ou l'amener à commettre des erreurs ...arfois dangereuses. Même s'il est souhaitable ... laisser à l'enfant la possibilité de vivre ses ...ropres expériences, les parents doivent poser ...n certain nombre de limites.

...es limites, qu'ils posent ou pas, réfèrent en ...néral à leur propre histoire et au sens qu'ils y ...nnent. Par exemple, une mère peut exiger ... lire le courrier de sa fille et veiller à ses fré-...uentations car, pour des raisons qui lui sont ...ersonnelles, elle a besoin

... contrôler

... vie.

Être libre

« Ma liberté s'arrête là où commence celle des autres. » Être libre signifie aussi ne pas empêcher la liberté de l'autre.

Ma mère entre dans ma chambre sans frapper

Tu souhaites avoir un espace qui t'appartienne. Demande à ta famille de frapper avant d'entrer, comme tu le fais sans doute à la porte de la chambre de tes parents. Le ménage et le rangement de ta pièce te seront alors confiés.

dico *Influençable : qui se soumet facilement à l'autorité d'une autre personne. Un adulte n'a pas de mal à exercer son autorité sur un enfant influençable.*

Psychanalyse : méthode axée sur la parole pour mieux comprendre son propre fonctionnement.

Les parents font bloc

Comme Kevin dans le film *Maman, j'ai raté l'avion* (1990), l'enfant a parfois l'impression d'avoir toute la famille contre lui.

VOUS ÊTES JUMEAUX OU QUOI ?

Ils sont toujours d'accord

Certains parents montrent toujours d'accord devant leur enfant, même si, en réalité, leurs opinions diffèrent. Les livres d'éducation affirment quelquefois qu'il est souhaitable de donner à l'enfant l'image de parents qui s'entendent bien sur tout : devant l'enfant, il faudrait ne pas se contredire et être d'accord sur les punitions à donner. Mais l'enfant supporte difficilement cette image de parents « parfaits ». Un peu plus de sincérité serait bienvenue !

Nous faisons toutes les activités ensemble

L'enfant aime sortir du milieu familial pour rencontrer d'autres personnes et découvrir d'autres centres d'intérêt. Parfois, les parents veulent protéger leurs enfants des risques du monde extérieur, de la violence et des rencontres dangereuses. Ils font alors toutes les activités en famille. Ils ont aussi peur de laisser grandir leurs enfants : ceux-ci deviendraient autonomes et auraient

nsi moins besoin d'eux. Certains parents ont
tant besoin de leur enfant que les enfants
leurs parents. Cependant, les difficultés que
parents rencontrent ne doivent pas amener
nfant à s'empêcher de faire les activités désirées.

veulent tout savoir

nfant, lui aussi, devrait avoir sa vie intime
garder quelques secrets. Seulement voilà :
parents veulent tout savoir. Ils le questionnent
l'école, les camarades, les amours, les loisirs…
essayant de contrôler la vie de l'enfant,
parents sont rassurés. Cependant, il est
nportant qu'ils sachent si tu rencontres ou non
s difficultés dans la vie courante ou à l'école.
dois confier à tes parents les problèmes
nportants qui te concernent, car ils sont là
ur t'aider.

a place au milieu de mes frères et sœurs

t'arrive de penser que tes parents sont davantage
sponibles pour tes frères et sœurs, et qu'ils sont
op exigeants envers toi.

Chacun est différent. Les enfants
ne sont pas tous élevés de la
même manière car chaque individu n'a pas les mêmes
centres d'intérêt et il choisit
de prendre dans son entourage ce dont il a envie.
C'est parce que chaque
enfant est unique qu'il
reçoit, dans sa famille, une
éducation individuelle,
destinée à lui seul.

Le journal intime

C'est un cahier où tu écris
toutes tes pensées.
Certains modèles
se ferment même à clef.
Le but : que personne
ne le lise sauf si tu en
as envie !

Pourquoi travaillent-ils autant ?

Le travail est une nécessité et une source d'équilibre pour tes parents. Mais il entraîne parfois des perturbations comme le stress, l'angoisse, l'énervement...

Le travail dans la société

Pour les enfants, les parents travaillent trop et devraient se détendre davantage. Une loi a été votée en 2000 afin de réduire le temps de travail : le passage des 39 heures par semaine aux 35 heures dans les entreprises. Les parents et les enfants pourront peut-être profiter ensemble de ce gain de temps.

Le travail, c'est la santé

Travailler ne signifie pas seulement gagner de l'argent : c'est aussi un but dans la vie. Il est important que la personne exerce son métier avec plaisir et intérêt. La motivation est essentielle car, lorsque travailler devient insupportable, le parent est énervé. Voilà pourquoi les parents insistent tant pour que tu réussisses à l'école et pour que tu aies des diplômes ; tu choisiras plus facilement le métier qui te plaît.

Courir pour aller travailler provoque le stress des parents.

es parents bougent tout le temps

orsque les parents travaillent beaucoup, ont
op de responsabilités ou rencontrent des diffi-
ltés au travail, ils sont stressés. Cela signifie que
urs soucis les rendent plus énervés, fatigués,
mauvaise humeur…

ès le réveil, les adultes se dépêchent : il faut vite
préparer, partir au travail ou à l'école, courir
endre le métro ou le bus… Ce sont les condi-
ons de vie, notamment dans les grandes villes,
i ne permettent pas de se détendre.

nt-ils disponibles pour m'écouter ?

la maison, tu remarques qu'il n'est pas toujours
cile de trouver quelqu'un qui soit prêt à t'écouter.
s parents sont fatigués ou bien n'ont pas le temps.
'est à toi de choisir le bon moment : attends
'ils soient détendus et disponibles. Le rôle
i parent est d'être à l'écoute de ses enfants,
ais parfois il rencontre tellement de difficultés
rsonnelles qu'il ne peut pas être attentif.
lors, tourne-toi vers
ielqu'un d'autre dans
n entourage : tu trou-
ras toujours une oreille
tentive.

Les mères travaillent

En janvier 1999, 47,9 %
des femmes françaises
travaillaient. Cela fait
presque une femme
sur deux.

Le chômage

C'est une source
d'angoisse pour les
parents. En juin 1999,
en France,
2 932 000 personnes
étaient à la recherche
d'un emploi.

d'ico

*Anxiété : état qui
résulte d'une grande
inquiétude. L'angoisse
désigne un malaise
plus fort.*

*Néfaste : mauvais
pour l'individu,
pouvant avoir
des répercussions
sur le corps (maladie
par exemple).*

*Stress : tension
nerveuse provoquée
par des agents
perturbateurs,
ou simplement
par le rythme
de la vie quotidienne.*

Ils commettent des erreurs

Lorsqu'on apprend, on commet des erreurs. En élevant leurs enfants, les parents apprennent tous les jours.

Ils ont de l'expérience

Dans le domaine de l'éducation, personne ne détient la vérité. Et les parents n'ont pas de savoir inné : ils apprennent comment éduquer leurs enfants au fur et à mesure que ceux-ci grandissent. Ils remettent alors en question certains de leurs principes.

Les parents ont de l'expérience et ont acquis des connaissances. Ils veulent les transmettre à leurs enfants.

Ils ont eux aussi leurs faiblesses

Parfois, les parents ne tiennent pas leurs promesses ou bien ils enseignent à l'enfant une morale qui est en contradiction avec leur propre conduite : ainsi, ils ne disent pas toujours la vérité alors qu'ils interdisent à l'enfant de mentir. L'enfant est déçu car il a pu s'imaginer que l'adulte était parfait.

Les parents commettent des erreurs parce qu'ils ne savent pas toujours ce qu'il faut faire.

BÉÉÉH !

BIEN ÉDUQUER SON ENFANT

connaissent-ils leurs erreurs ?

est douloureux pour les parents d'accepter
fait de commettre des erreurs dans l'éducation
leurs enfants. Ils veulent faire de leur mieux
montrer le « bon exemple ». Les parents sou-
itent la réussite et le bien-être de leur enfant.
rsque celui-ci exprime de la souffrance ou
ncontre des difficultés, les parents culpabili-
nt, c'est-à-dire qu'ils pensent être coupables
cette situation.

n'ont pas toujours la « bonne » réponse

aque parent est différent, car chaque individu
ne histoire personnelle. Les parents ont eux
ssi des souffrances, des peines, des joies ou
s plaisirs. Ils sont parfois démunis et n'ont pas
ujours de réponses à apporter.

« bonne » ou la « mauvaise » réponse n'existe
s. Il ne s'agit pas de porter un jugement de
leur sur celle-ci mais plutôt de savoir si elle
nvient à l'individu. Chacun, en grandissant,
nse qu'il donnera à ses enfants une meilleure
ucation que celle qu'il a reçue. Mais il s'adapte
a réalité et fait du mieux qu'il peut.

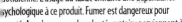

e savais-tu ?

ourquoi fument-ils ?

es gens qui fument ont souvent commencé à l'adolescence
ar défi ou pour s'opposer à une interdiction.
est une manière de s'affirmer ou de ressembler
quelqu'un d'autre. Fumer devient vite un geste de la vie
uotidienne. L'usage du tabac entraîne une dépendance
sychologique à ce produit. Fumer est dangereux pour
santé. Avec beaucoup de volonté, certains parviennent à arrêter. Pendant la période
e sevrage, les parents risquent d'être anxieux, irritables, d'avoir des maux de tête.

Mes parents me font-ils confiance ?

Avoir confiance en quelqu'un, cela signifie que l'on peut se fier à cette personne parce qu'elle a déjà montré qu'on pouvait compter sur elle.

Peut-on tout leur dire ?

Tu pe
garder
secrets ta
que cela
cause de t
ni à t
même n
autrui.
exemple, si tu
un(e) amoureux(s
tu n'es pas obligé(e) de le confie
tes parents. Dans un premi
temps, il te faudra apprendre
que tu dois dire à tes parents et ce q
tu peux garder secret. Par exemple, si quelq
chose te tracasse ou te rend malheureux, il
conseillé d'en parler pour te soulager.

Comment vont-ils réagir ?

Cela dépend des parents et de la situation. Si tu
un souci, si tu te sens menacé(e) ou en dang
tu dois en parler à tes parents. N'hésite pas. C'
en parlant que l'on résout le plus facileme
les problèmes. Même si tu as peur de leur parl

Ils ont été des enfants

Si parfois, tu te sens incompris, rappelle-leur qu'avant d'être des parents ils ont, eux aussi, été des enfants.

---

20 COMPRENDS MIEUX TES PARENTS

te faudra prendre le risque que leur avis te
éplaise. Ils auront certainement une solution
apporter à ton problème. Tu as remarqué que
ɔn père et ta mère réagissent différemment.
s n'ont pas le même caractère et l'un des deux
ɛra plus attentif à tes paroles.

s ont peur des dangers

es parents imposent des règles et refusent des
ɔrties à l'extérieur, la nuit par exemple, pour
rotéger l'enfant des dangers. Lorsqu'ils permet-
ɛnt des sorties, les parents éprouvent souvent
ɛ l'anxiété.

n général, les enfants n'ont pas véritablement
ɔnscience des dangers. Le rôle des parents
st de les expliquer
ux enfants, afin
ue ceux-ci
ɛs évitent
l'avenir.

ne protection trop étouffante

ertains parents ont tellement peur qu'il arrive
nalheur à leur enfant qu'ils l'obligent à rester
la maison. Cette méthode empêche l'enfant
ɛ s'épanouir et lui donne parfois la sensation
'étouffer. La mère ou le père sont toujours là pour
rotéger l'enfant et ne lui laissent plus d'espace
ɔur grandir et découvrir à son tour le monde qui
entoure. Pourtant, ils veulent être bienveillants,
nais ils sont terrorisés par leurs propres peurs.

Le racket

Si tu es victime de racket
à l'école, c'est-à-dire
si quelqu'un te prend,
contre ta volonté,
ton argent ou des biens
qui t'appartiennent,
tu dois en parler
à tes parents
et au directeur
de l'établissement afin
qu'ils te protègent.

dico *Anxiété : état
qui résulte d'une
grande inquiétude.
L'angoisse désigne
un malaise plus fort.*

*Avoir conscience :
réaliser, pressentir
les dangers.*

Les parents et la sexualité

Dans la famille, souvent, on ne parle jamais ou presque de sexualité, ou bien on en parle de manière déformée.

À la maison, on n'en parle pas

Autrefois, les parents n'abordaient pas ce suje car ils pensaient que cela pouvait être traumati sant pour l'enfant. Aujourd'hui, tout le mond s'accorde à dire qu'il faut en parler. Mais le parents sont toujours aussi maladroits ; soit i évitent la discussion, soit ils prennent de grand airs comme s'il s'agissait d'un sujet dramatique. Dans une publicité télévisée pour le lait, pou éviter de répondre à la question : « Dis, Papa comment on fait les bébés ? », le père détourn la conversation.

Sigmund Freud

Leur jardin secret

Les parents ne parlent pas de leur sexualité. Il e normal qu'ils gardent leur intimité à ce sujet elle leur appartient. Cela ne veut pas dire qu'i

Le savais-tu ?

Le complexe d'Œdipe

Le médecin Sigmund Freud a découvert que, vers l'âge de 4 ans, l'enfant est amoureux de son parent du sexe opposé. Par exemple, si tu es un garçon, tu éprouves des sentiments d'amour pour ta mère et de haine ou d'ambivalence (amour et haine mêlés) envers ton père. Si tu es une fille, c'est l'inverse. Il est important que le père intervienne pour interdire cet amour et pour faire respecter son autorité.

e font pas l'amour. Dans tous les cas, chacun
oit garder une part de discrétion et respecter
lle de l'autre.

masturbation

s'agit d'une pratique normale chez l'enfant, fille ou
rçon, qui ne doit pas culpabiliser. C'est un moyen
e découvrir sa propre sexualité, et d'y prendre
u plaisir. La masturbation se pratique quand on est
ul et non en public. Avec certains parents, il est
rfois possible d'entamer un dialogue à propos de
masturbation, et plus généralement de la sexua-
é. Mais ils ne sont pas toujours à l'aise pour en
rler. Pour te documenter, tu trouveras des livres
our ton âge en librairie ou à la bibliothèque.

suis victime d'inceste

n appelle « inceste »
viol ou l'attouche-
ent sexuel d'un
rent sur son enfant.
e sont des pratiques
terdites par la loi et les
ultes doivent être punis.
tu es victime d'inceste,
viol ou d'attouche-
ent par une autre
ersonne, tu dois en
rler, même si cela
semble terrifiant.

n'es pas coupable, mais victime. Si tu es mena-
(e), n'hésite pas à en parler à un adulte en qui
as confiance et qui pourra t'aider. La parole sera
premier moyen de libération. Il est important
ue tu en parles afin d'être protégé(e) par la suite.

Qu'est-ce qu'un exhibitionniste ?

C'est un homme qui montre son sexe à des inconnus ou à des enfants dans la rue. Cette conduite est anormale et interdite par la loi. Si tu en vois un, sois très prudent(e) et parles-en à tes parents.

dico

Freud (Sigmund) : médecin autrichien, né en Moravie en 1856 et mort à Londres en 1939. Inventeur de la psychanalyse.

Masturbation : attouchement des parties sexuelles par soi-même et qui provoque du plaisir.

Leur argent et le mien

L'argent permet de vendre, d'acheter, de posséder. Tes parents gagnent de l'argent par leur travail.

La valeur de l'argent

Les êtres humains associent l'argent et le pouvoir. L'argent permet en effet de posséder des biens matériels. Plus on est riche et plus on a de pouvoir car, avec l'argent on peut payer des personnes à son service. La course pour le pouvoir entraîne quelquefois l'homme à dépasser des limites et à déclencher des guerres.

Un sujet « tabou »

Lorsqu'on parle d'argent dans une famille, c'est souvent de manière déformée ou peu claire. On évoque rarement le montant des salaires. L'enfant entend fréquemment ses parents se plaindre de manquer d'argent mais il comprend peu la valeur de celui-ci. Comme l'être humain veut toujours posséder davantage, il ne voit pas les richesses qu'il possède déjà : maison, voiture, télévision, confort. La pauvreté des pays sous-développés lui fait parfois prendre conscience de sa propre richesse. Par exemple, les personnes de l'organisation humanitaire Médecins sans frontières travaillent dur chaque jour dans les pays en voie de développement

ment, pour apporter des soins urgents et de
nourriture à des gens pauvres qui meurent
faim et de maladie.

ne veulent pas m'acheter ce que je veux

. demandes à tes parents de t'acheter des jeux,
s produits de marque… Tu veux posséder,
r notre société de consommation te pousse
vouloir toujours davantage. Tu ne comprends
s pourquoi tes parents refusent de satisfaire
rtains de tes désirs.
uelle que soit la raison de leur refus, leur argent
ur appartient : ils sont les seuls à pouvoir
rer leur budget. De la même façon, tes affaires
ton argent de poche sont à toi.

on argent de poche

ucune loi n'oblige tes parents à te donner
l'argent de poche. S'ils t'en donnent, cela
permet d'apprendre à gérer un budget, de
mprendre la valeur de l'argent, et c'est un
emier pas vers l'autonomie.
ette somme d'argent est fixée
lon les revenus et possibilités
tes parents. Il te permet de
yer toi-même certains plai-
s et achats qui te font
vie. Dans tous les cas,
profites de l'argent
gné par tes parents,
isqu'ils te nourrissent,
ébergent et t'entretien-
nt jusqu'à ta majorité et
ême plus tard si tu pour-
is tes études.

Picsou, quel avare !

Il n'a pas d'amis car il a choisi de préférer son argent aux relations avec les autres. Lorsque ses proches sont dans le besoin, il ne les aide pas et voilà pourquoi il se retrouve tout seul !

dico

*Autonomie :
fait de ne pas avoir
besoin de l'aide
d'une autre personne,
d'être indépendant.*

*Prendre conscience :
réaliser, se rendre
compte.*

Comment parler avec mes parents ?

Voici quelques repères pour communiquer avec tes parents, ainsi qu'avec ton entourage. Il ne s'agit pas d'appliquer à tout moment ce modèle car il reste important que tu t'exprimes comme tu le ressens.

ÉVITE LES A PRIORI

Écoute le point de vue différent de l'autre. Renonce à imposer tes certitudes et tes croyances.

CHOISIS TON MOMENT

Reporte à plus tard la discussion si l'autre n'est pas disponible ou si tu es trop énervé.

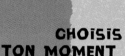

« plus tard » ne veut pas dire « jamais ».

N'INTERPRÈTE PAS

Demande des explications si tu ne comprends pas ce que l'autre dit.

E TE REPLIE PAS SUR TOI

rime tes sentiments. Ne te tais pas.

« Savoir reconnaître ses torts et savoir le dire. »

tu veux e le dialogue installe...

SOIS CLAIR

Fais des demandes directes. Ne tourne pas autour du pot.

DÉPASSE TES PEURS

Parle des problèmes que tu rencontres, même si tu as peur de la réaction de l'autre.

« Tu n'es pas lui : il ou elle n'est pas toi. »

PRENDS LE TEMPS D'ÉCOUTER

Sois attentif à la parole de l'autre. Ne l'accuse pas sans l'écouter.

La violence et les cris des parents

Les cris et les menaces sont parfois aussi blessants que les coups. Jusqu'où la loi permet-elle aux parents d'utiliser ces formes de violence ?

Ils font beaucoup de bruit

Si les enfants font du bruit en jouant, les adultes, eux, crient beaucoup. Ils se mettent en colère et leurs cris, parfois terrifiants, sont chargés d'agressivité. L'enfant n'en comprend pas toujours la raison ni le but. Le parent crie pour se faire obéir. Mais ce moyen de communication n'est certainement pas le plus efficace ni le mieux adapté pour exprimer ses intentions.

Ils perdent le contrôle

Le parent qui s'énerve ne maîtrise plus ses émotions. Les causes sont multiples : fatigue, stress, soucis, maladie… Le parent, comme l'enfant, a des sentiments de joie, de tristesse, de colère… est normal que, parfois, il crie pour exprimer ses

Le savais-tu ?

« Allô ! Enfance maltraitée »

Si tu as besoin d'aide, ce service téléphonique gratuit te permet de joindre des personnes qui seront à ton écoute et qui essaieront de t'aider. Numéro vert accessible tous les jours et 24 heures sur 24 : 08 00 05 41 41.

...torité. Cela dit, son autorité aura souvent plus ...influence sur l'enfant s'il l'exerce calmement.

...ı mauvais quart d'heure à passer

...pporter des parents en colère, c'est difficile, ...rtout lorsqu'on connaît mal les raisons de leur ...ervement. Ils crient fort et sont parfois violents. ...t'arrive d'avoir peur de tes parents. Sans motif ...el de crainte, juste parce qu'ils sont impression... ...ants par leur taille et par leur voix. Ou bien parce ...'il y a punition et sanction si tu désobéis.

...es parents me frappent

...es parents ont le droit de donner quelques ...ssées. Ce sont des violences légères tolérées par ... société. Mais, s'il s'agit de coups, de blessures, ...e menaces physiques, d'enfermement dans un ...acard…, alors, ce sont des châtiments corporels ...terdits par la loi, et seuls les parents sont cou... ...ables. Parfois, la violence est verbale : le parent ...sulte l'enfant très souvent, le dévalorise en lui ...pétant qu'il n'arrivera jamais à rien, que c'est ...n nul. Dans ces circonstances, l'enfant doit être ...otégé. Pour cela, il existe un juge des enfants. Il ...t spécialisé, les adultes ou les enfants font appel à ...i lorsqu'un mineur (personne de moins de 18 ans) ...t en danger. Il a le pouvoir de prendre des mesures ...our le protéger. Si tu estimes être maltraité(e), n'hé... ...te pas à en parler à un adulte ou à porter plainte ... la police (en composant le 17 sur le téléphone).

Un parent alcoolique

L'alcoolique boit, tous les jours, beaucoup d'alcool. Il ne peut pas s'en passer ; on parle de dépendance psychologique. En général, il a des problèmes personnels qu'il n'arrive pas à surmonter.
La consommation importante d'alcool peut entraîner, chez certaines personnes, des comportements agressifs et violents.

dico *Châtiments corporels : corrections, punitions (coups, blessures, brûlures) données sur le corps.*

Dépendance psychologique : dans ce cas, l'individu ne peut pas se passer d'un produit (alcool, tabac, drogue). Des pulsions le poussent à prendre la drogue qui lui procure du plaisir (seulement dans un premier temps) et lui évite le malaise de sa privation.

Menaces physiques : fait d'être menacé de recevoir des coups.

Stress : voir définition p. 17.

Mes parents se disputent

Les disputes ne conduisent pas toujours les parents au divorce. Mésentente et séparation sont des moments douloureux qui perturbent toute la famille.

« Ils ne sont jamais d'accord »

Les disputes sont des périodes parfois difficiles. Chacun de son côté vit des moments douloureux et fonctionne différemment. Chacun a sa propre histoire et vit avec des souffrances qui lui appartiennent ; il s'en débrouille comme il peut.

L'enfant est parfois au centre des disputes des parents. Ils ne sont pas d'accord sur la manière de l'éduquer. L'enfant n'est pas responsable de leur mésentente. Son éducation sert de prétexte à ses parents pour se disputer.

Rupture et divorce

Lorsqu'un homme et une femme ne s'entendent plus, ne peuvent plus vivre ensemble, ou ne s'aiment plus, ils se séparent. Le divorce est la dissolution d'un mariage, prononcée par le juge.

Le savais-tu ?

La pension alimentaire

Le parent qui a ta garde percevra tous les mois de l'argent versé par l'autre parent pour participer aux dépenses qui te concernent. Cette pension est fixée par le juge selon les revenus du père et de la mère.

Comment donner ton avis

Lors du divorce
de tes parents, tu as
le droit d'être entendu(e)
par le juge, si tu le
demandes, pour exprimer
ton point de vue.

ans certains cas, il est une solution pour alléger
ur souffrance respective. L'homme et la femme
ui divorcent restent père et mère de leur enfant.
s parents continuent à t'aimer : ce sont leurs
stoires qui prennent des chemins différents.

s se disputent la garde

la suite de la séparation et pour diverses
isons, chaque parent souhaite obtenir ta garde.
u te retrouves ballotté(e) entre eux ; tu ne sais
us où te situer. Chacun te prend à témoin des
éfaillances de l'autre. Ils t'englobent dans leur
ouffrance et ne respectent plus ta place d'enfant.
s sont tellement envahis par leur peine qu'ils n'ar-
vent plus à réagir. Explique-leur à ton tour que toi
u ne « divorces » pas avec eux. Demande-leur d'es-
yer de régler leurs problèmes sans te les imposer.

dico *Défaillance :
faiblesse morale
ou physique
de la personne,
qui peut se traduire
par des erreurs.*

*Prétexte : raison
donnée pour cacher
le véritable motif.*

ne nouvelle famille

e beau-parent est le nouveau partenaire amoureux
u père ou de la mère. Il ne remplace aucun
es deux, mais il tient une place affective
our celui qui l'a désiré.
u dois respecter le choix
e tes parents.
est difficile d'accepter un
ouveau venu dans la famille.
u peux avoir l'impression
e trahir ton autre parent :
n'en est rien car il s'agit
e l'histoire des adultes.
'autre part, vivre avec de nouvelles personnes
emande un effort d'adaptation important.
e dialogue devrait faciliter les relations et t'aider
accepter cette situation.

Mes parents m'aiment-ils ?

Parfois les parents sont maladroits pour exprimer leur amour à leur enfant, tout comme celui-ci l'est aussi, quelquefois, envers eux.

Certains ne le disent jamais

En effet, ils restent discrets car ils sont gênés de dire qu'ils t'aiment. Ils le montrent par différents moyens : ils sont attentifs, n'oublient jamais ton anniversaire, te préparent ton plat préféré, surveillent tes devoirs ou te font des cadeaux. Toutes leurs attentions à ton égard sont des marques d'affection, même parfois lorsqu'ils te grondent. D'autres parents ont de telles difficultés personnelles (maladie, dépression, alcoolisme…) qu'ils sont dans l'incapacité de s'occuper de toi. Leurs problèmes ne sont pas de ta faute, et ne les empêchent pas de t'aimer mais la maladie a pris le dessus et, parfois, ils ne peuvent pas te le montrer.

Des parents trop « bons »

Ceux-là mettent tout en place pour que tu puisses t'épanouir. Ils n'élèvent jamais la voix, ils sont à ton écoute permanente, réalisent tes désirs, ne se disputent jamais… Ils veulent trop bien faire et il est insupportable de n'avoir rien à leur reprocher tellement ils sont gentils et respectables. Ils ont toujours réponse à tout.

...man, j'ai raté l'avion. (1990)

J'ai été adopté(e)

Avec l'accord de l'Aide sociale à l'enfance (ASE), tu as le droit de rechercher tes parents biologiques. Sache que cette recherche sera une épreuve longue et douloureuse, d'autant plus que tu ne connais pas leur identité.

es parents parfaits ?

s n'existent pas car, comme nous l'avons vu, aque parent a sa personnalité, son histoire. est nécessaire de les accepter avec leurs éfaillances. En quelque sorte, il faut renoncer avoir des parents parfaits, comme eux-mêmes oivent renoncer à avoir des enfants parfaits ! pprends à distinguer ce que tes parents sont ellement et l'image qu'ils présentent à tes yeux. ela signifie que ce que tu vois n'est pas forcé- ent leur réalité, mais la tienne. Tu interprètes qu'ils disent et ce qu'ils font.

ver d'autres parents

arrive que l'enfant imagine ou rêve que ses vrais rents ne sont pas ceux qui l'ont élevé, mais autres, qu'il se représente comme merveilleux. 'est un phénomène habituel chez l'enfant. ver d'autres parents ne signifie pas qu'il n'aime us ses parents réels. Par exemple, dans le film *aman, j'ai raté l'avion,* Kevin ne veut plus voir famille. Pourtant, lorsqu'il se retrouve seul, est désemparé et souhaite les retrouver.

 Défaillance : faiblesse morale ou physique de la personne, qui peut se traduire par des erreurs.

Dépression : appelée aussi « dépression nerveuse », se caractérise par un état de tristesse et d'anxiété. La personne n'a envie de rien, elle est très fatiguée.

Quiz

Maintenant que tu as lu cet « Essentiel Milan Junior », qu'en as-tu retenu ?

Attention, parfois plusieurs réponses sont possibles.

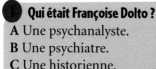

Qui était Françoise Dolto ?
A Une psychanalyste.
B Une psychiatre.
C Une historienne.

Combien de femmes françaises travaillaient en 1999 ?
A Environ une sur cent.
B Environ une sur deux.
C Environ une sur cinq.

Qu'est-ce que le complexe d'Œdipe ?
A L'enfant est amoureux du parent du sexe opposé.
B L'enfant est jaloux de ses frères et sœurs.
C Le parent est amoureux de son enfant.

Que veut dire « désirer » ?
A Avoir envie de quelque chose.
B Se faire comprendre.
C Être dans le manque.

L'autorité parentale dans les couples mariés est exercée par :
A les deux parents.
B le père.
C la mère.

Tous les enfants :
A se ressemblent.
B sont différents.
C sont uniques.

« Ma liberté...
A ... commence là où s'arrête celle des autres. »
B ... s'arrête là où commence celle des autres. »
C ... s'arrête en même temps que celle des autres. »

Le stress est :
A seulement néfaste pour l'individu.
B inutile pour vivre.
C à la fois néfaste et indispensable pour vivre.

Qu'est-ce que le racket ?
A C'est une nouvelle pratique de VTT
B C'est un moyen de prendre ton argent contre ta volonté.
C On l'utilise pour jouer au tennis.

On fait appel au juge des enfants dans le cas où :
A un enfant est en danger.
B l'enfant commet un vol.
C l'enfant est victime de maltraitance

Un parent alcoolique :
A est dépendant de l'alcool.
B boit de temps en temps de l'alcool.
C peut arrêter facilement de boire.

« Allô ! Enfance maltraitée » :
A est un numéro vert gratuit.
B est un numéro payant.
C on peut contacter ce service 24 h/2

Pour t'aider dans ton exposé

Le professeur te demande de choisir un sujet d'exposé, ou bien tu proposes toi-même d'en faire un... Dans tous les cas, avant de te lancer, pose-toi ces quelques questions.

❶ La pêche aux informations

Où trouver des livres ?

Si tu choisis de faire ton exposé sur une question précise de cet « Essentiel Milan Junior », vérifie d'abord que tu as assez de documentation sur ce thème. Tu en trouveras au CDI ou à la bibliothèque municipale, et tu peux te référer aux ouvrages cités page 36. Si tu as besoin de chiffres et de statistiques, cherche-les dans le *Quid*.

Comment fait-on un sondage ?

Pose des questions à tes camarades sur le thème de ton exposé. Un sondage auprès de tes parents serait aussi intéressant pour connaître leur point de vue : « Vous arrive-t-il de commettre des erreurs ? »

Où trouver d'autres informations ?

Parfois des émissions concernant les relations parents-enfants sont diffusées à la télévision.

❷ La prise de notes

Est-ce que je dois vraiment tout lire ?

Fais une sélection de ce que tu vas lire, en t'aidant du sommaire et de l'index des ouvrages.

Faut-il recopier les livres ?

Résume les paragraphes en utilisant tes propres mots. En ce qui concerne les paroles de tes camarades et de tes parents, cite-les sans les modifier.

❸ La construction de ton exposé

Dans quel ordre dois-je classer mes notes ?

Fais un plan précis (comme un sommaire) que tu découpes en différentes parties.

❹ Ça y est, à toi de conquérir ton public !

Comment commencer mon exposé ?

Annonce clairement ton sujet et le plan que tu as choisi. Explique, si tu le souhaites, pourquoi tu as choisi ce sujet.

Est-ce que je dois écrire au tableau ?

Oui, mais pas trop. Uniquement les mots difficiles, les noms propres et ceux qui te semblent importants.

Comment ouvrir un débat ?

À la fin, pose des questions concernant le sujet de ton exposé afin de permettre aux autres de donner leur opinion.

Pour aller plus loin

Livres

Sur la sexualité
• *Questions d'amour,*
Virginie Dumont et Serge Montagnat,
Nathan, 1997.
• *Moi, je viens d'où ?,*
Albert Jacquard et Marie-José
Auderset, coll. « Points virgule »,
Seuil, 2002.
• *Le Guide du zizi sexuel,*
Zep et Hélène Bruller, coll.
« Les trucs de Titeuf », Glénat, 2001.
• *L'Amour, la sexualité et toi,*
Magali Clausener-Petit,
coll. « Les Essentiels Milan Junior »,
Milan, 2002.

Pour les adolescents (13-16 ans)
• *Ados, amour et sexualité*, version
garçon ou fille, Sylvain Mimoun
et Rica Étienne, Albin Michel, 2001.

À propos de la maltraitance
• *Le Petit Livre pour dire NON
à la maltraitance,*
Dominique de Saint-Mars et Serge
Bloch, Bayard Jeunesse, 2000.
• *Jérémy est maltraité,*
Dominique de Saint-Mars et
Serge Bloch, coll. « Ainsi va la vie »,
Calligram, 1997.
• *J'ai peur du monsieur,*
Virginie Dumont, Actes Sud Junior,
1997.

Les droits de l'enfant
• *Mieux comprendre mes droits,
mes responsabilités,* n° 19, Éditions
du Moutard.

Des livres pour toi et tes parents
• *Manuel à l'usage des enfants
qui ont des parents difficiles,*
Jeanne Van Den Brouck,
coll. « Points virgule », Seuil, 2001.
• *Paroles pour adolescents
ou le Complexe du homard,*
Françoise Dolto et Catherine
Dolto-Tolitch, coll. « Giboulées »,
Gallimard Jeunesse, 1999.
• *Quand les parents se séparent,*
Françoise Dolto, Seuil, 1988.

Des livres à faire lire à tes parents
• *La Cause des enfants,*
Françoise Dolto, Pocket, 2003.
• *La Cause des adolescents,*
Françoise Dolto, Robert Laffont,
1997.
• *Éducation impossible,*
Maud Mannoni, Seuil, 1994.
• *Ces maladies mentales nommées
folie,* Évelyne Caralph, coll. « Les
Essentiels Milan », Milan, 1999.
• *L'Enfant arriéré et sa mère,*
Maud Mannoni, Seuil, 1981.
• *L'Enfant, sa « maladie »
et les autres,* Maud Mannoni,
Seuil, 1974.

Vidéo
• *Heureux qui communique,*
Jacques Salomé
(cassette accompagnée d'un livret).

Film
• *L'Enfant sauvage,*
François Truffaut, 1970.

...dex

Réponses au quiz

1	A	7	B
2	B	8	C
3	A	9	B
4	A et C	10	A, B et C
5	A	11	A
6	B et C	12	A et C

Responsable éditorial : Bernard Garaude
Directeur de collection : Dominique Auzel
Assistante d'édition : Virginie Lucas
Correction : Claire Debout
Iconographie : Sandrine Batlle, Anne Lauprète
Conception graphique : Anne Heym
Maquette : Anne Heym
Couverture : Bruno Douin

Illustrations : Mati

CRÉDIT PHOTO
Couverture : (haut) © Mati / (bas) © E. Larraydieu -
Tony Stone Images / (dos) © Mati
p. 3 : © Iconos - Images Toulouse
pp. 6-7 : © Cinémathèque de Toulouse
p. 13 : S. Villeger - Explorer
p. 16 : © R. Rouchon - Explorer
p. 22 : © Mary Evans - Explorer Archives
pp. 26-27 : © Diaphor - Images Toulouse
p. 33 : © Coll. Noel - O'Médias

© 2003 **Éditions MILAN**
300, rue Léon-Joulin,
31101 Toulouse Cedex 9 France
Droits de traduction et de reproduction
réservés pour tous les pays.
Dépôt légal : mai 2003.
ISBN : 2-7459-1087-6
Imprimé en Espagne.

Derniers titres parus

4. Sais-tu vraiment
ce que tu manges ?
Nadia Benlakhel

10. L'écologie,
agir pour la planète
Isabelle Masson

35. Pays riches, pays pauvres.
Pourquoi tant d'inégalités ?
Frédéric Bernard

36. Les enfants : leurs
droits, leurs devoirs
Sylvie Baussier

37. Les grands explorateurs
Jean-Benoît Durand